HOLD
ON
THIS
MOMENT.

只要持續努力不懈的運動著
你也會得到你應有的健康以及身材線條
我訓練的不只是身體
還有態度

雲彥

體育系男神
銅色的皮膚在陽光下顯得更動人
眼神的放電指數破表
愛運動、愛健身
喜歡挑戰自己身體的極限

真的可以再多靠近我一些

讓我迷人的眼神
融化你的

心

TOUCH YOUR HEART

SUN SET

銳利的眼神在夕陽的餘暉下
顯得更加耀眼
不用害怕一天的結束
而是要期待夜晚的美麗

我的自信
來自於我對我自己的肯定
訓練、健身、運動
都是要我自己經歷過才會有成果
也是我自己才知道的
努力

FREEDOM
IS
IMPORTENT
THING

FOCUS

在沙地上踏出的每一步
就像是我的考驗
深刻卻容易被抹滅
不管是不是有人看見自己的努力
我還是會札札實實的走著
迎接考驗

DON'T
WANT
TO
KNOW
EVERYTHING

在每一個姿勢轉換中
帶動著我每一個細胞節奏
緩緩地蔓延到我全身

披上的防護層
就跟運動戴上護具一樣
不代表就不會受傷
只是降低傷害

懂得怎麼保護自己
才是運動中最重要的一環
也是遇到挫折時能降低傷害的一個歷練

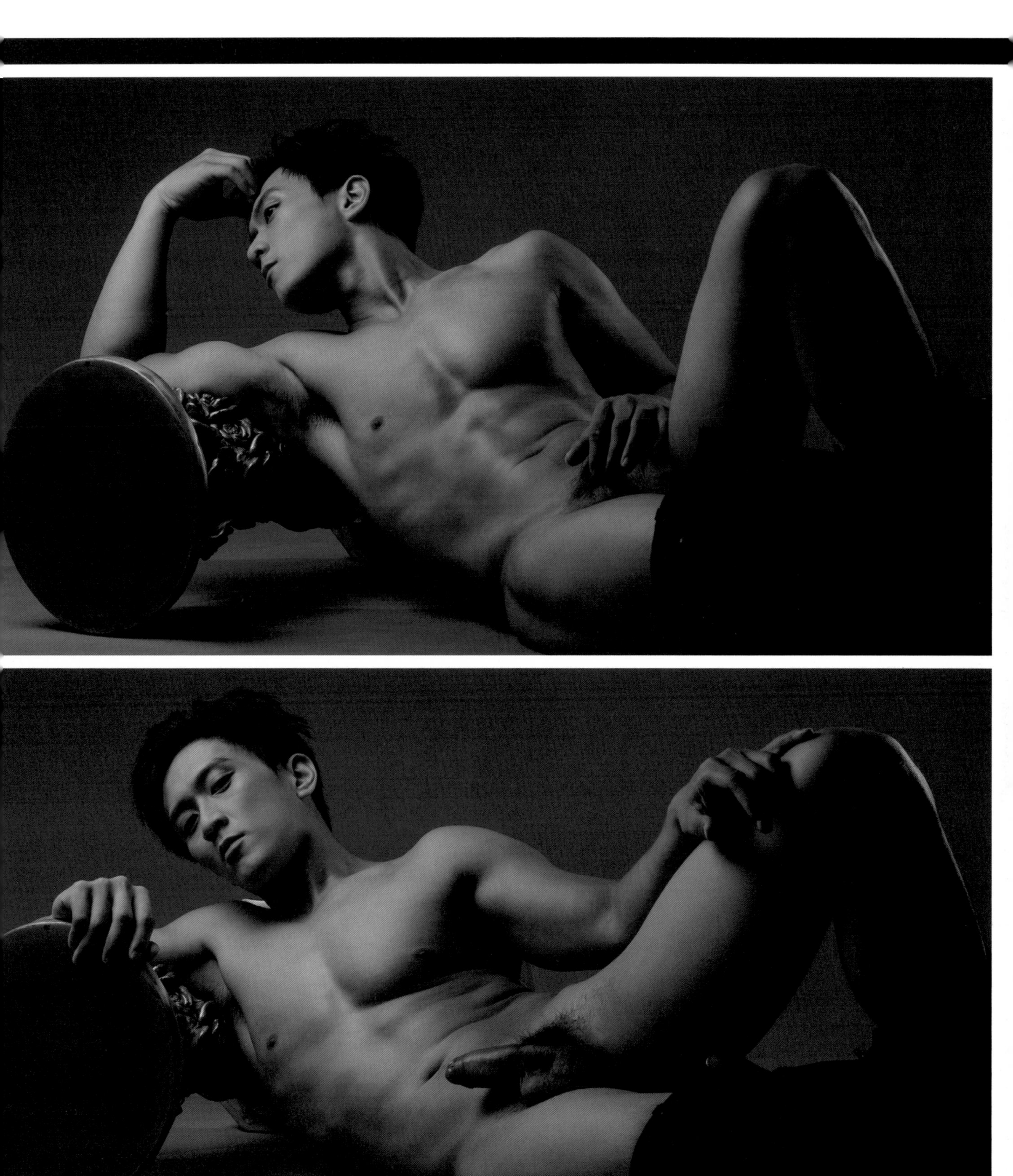

That I exist is a perpetual surprise which is life.

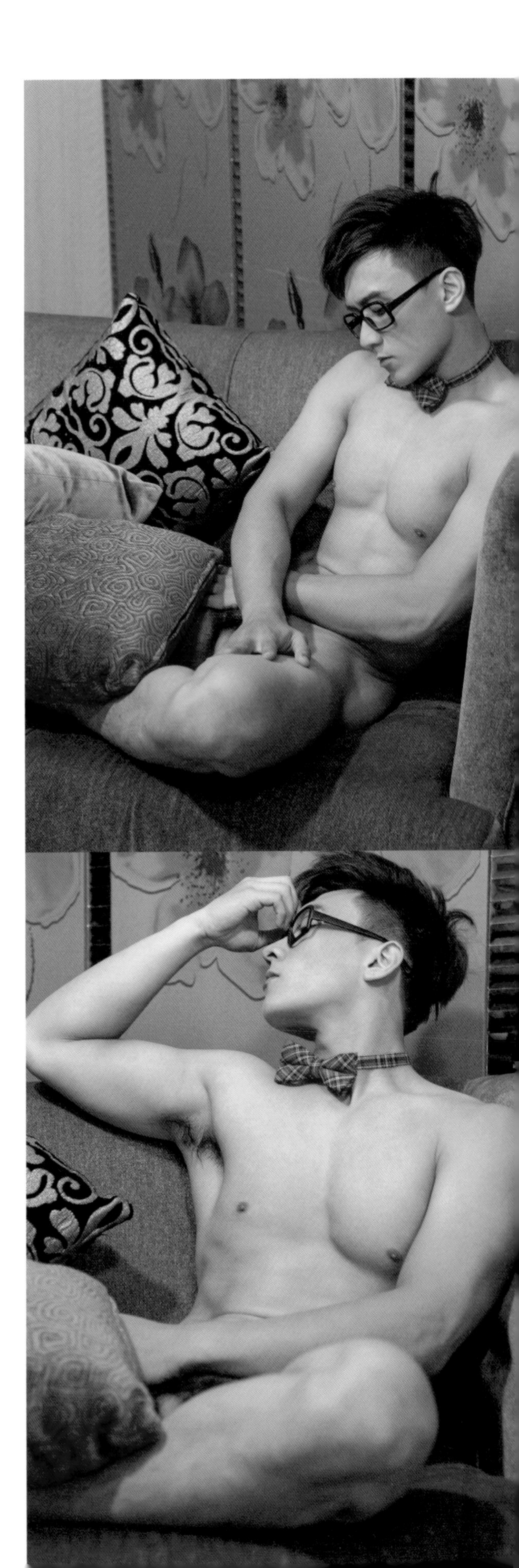

身體的柔
是日積
慢慢的從健身從舞蹈中鍛鍊出
肌肉線條與肢體語言的衝
我還蠻喜

時常拉拉筋
單腳雙腳都可以
一個動作持續 3 分鐘

兩個禮拜後
其實就可以發現自己的筋變軟了
筋如果變柔軟了
在運動的時候
就不容易受傷

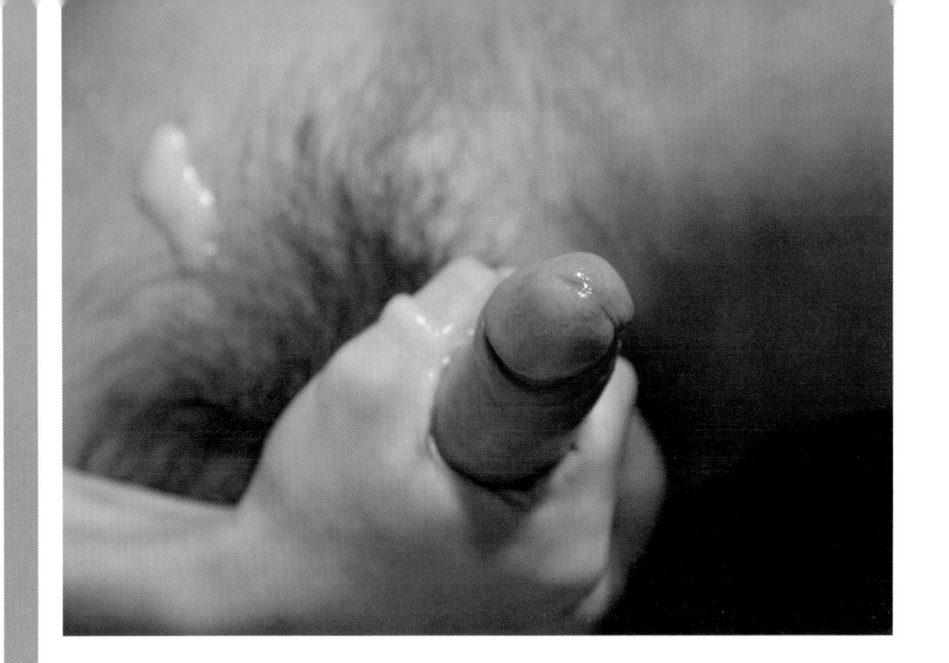

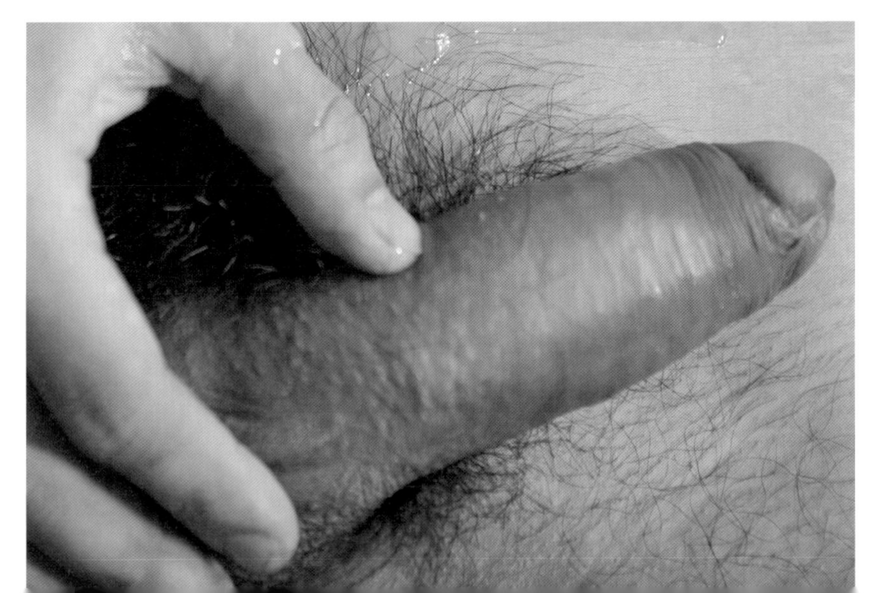

NEVER SAY YOU CAN'T DO IT.

DON'T

GIVE UP.

柏廷

愛運動的大男孩
任何地方都是他的健身房
身材比例完美線條
勾勒出性感可愛的微笑曲線
漸漸的淪陷其中

FEEL

IT

深深烙印在身上的肌肉線條
是藏也藏不了的性感符號

每個人都是獨特的
不需隱瞞也不用遮掩
隨興自在
對自己

誠實

我的自由漂泊
不畏懼
與眾不同

FREEDOM
NOT

AFRAID

內心的不安感
仍然很強烈

受夠了外界的紛擾
現在的我只想沉澱

柔軟的身體線條曲線
緩緩地吻過每一寸肌膚
可以感受你心跳加速的節奏

難以抗拒的深邃眼眸
與一舉一動散發出的狂野魅力

DON'T LET THE PAST STEAL YOUR PRESENT.

想與你說我心底所有的秘密
否則我真的會悶的窒息

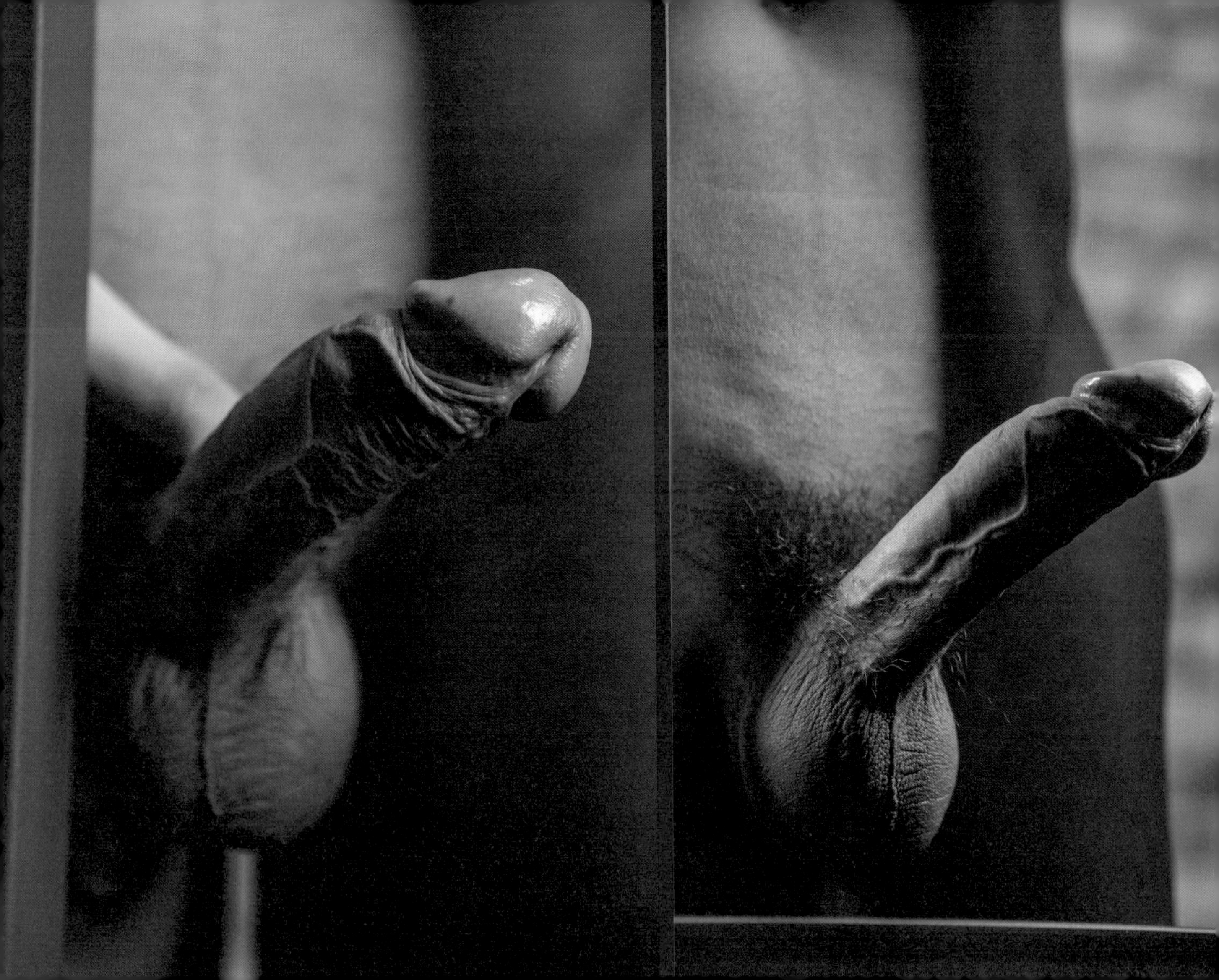

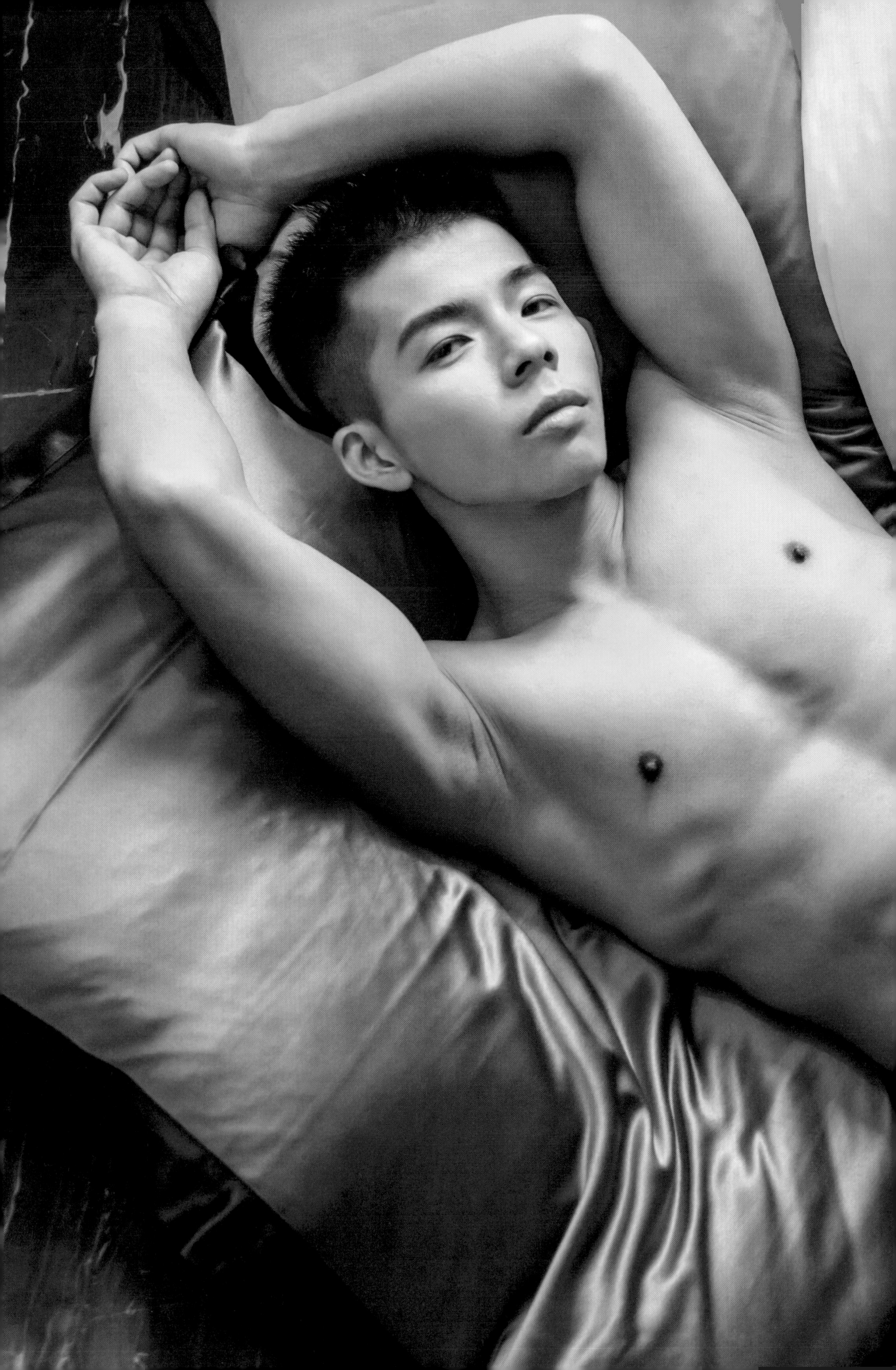

窗外的微光無聲無息地灑進屋內
不願意打擾
卻增添了一股舒適暖意

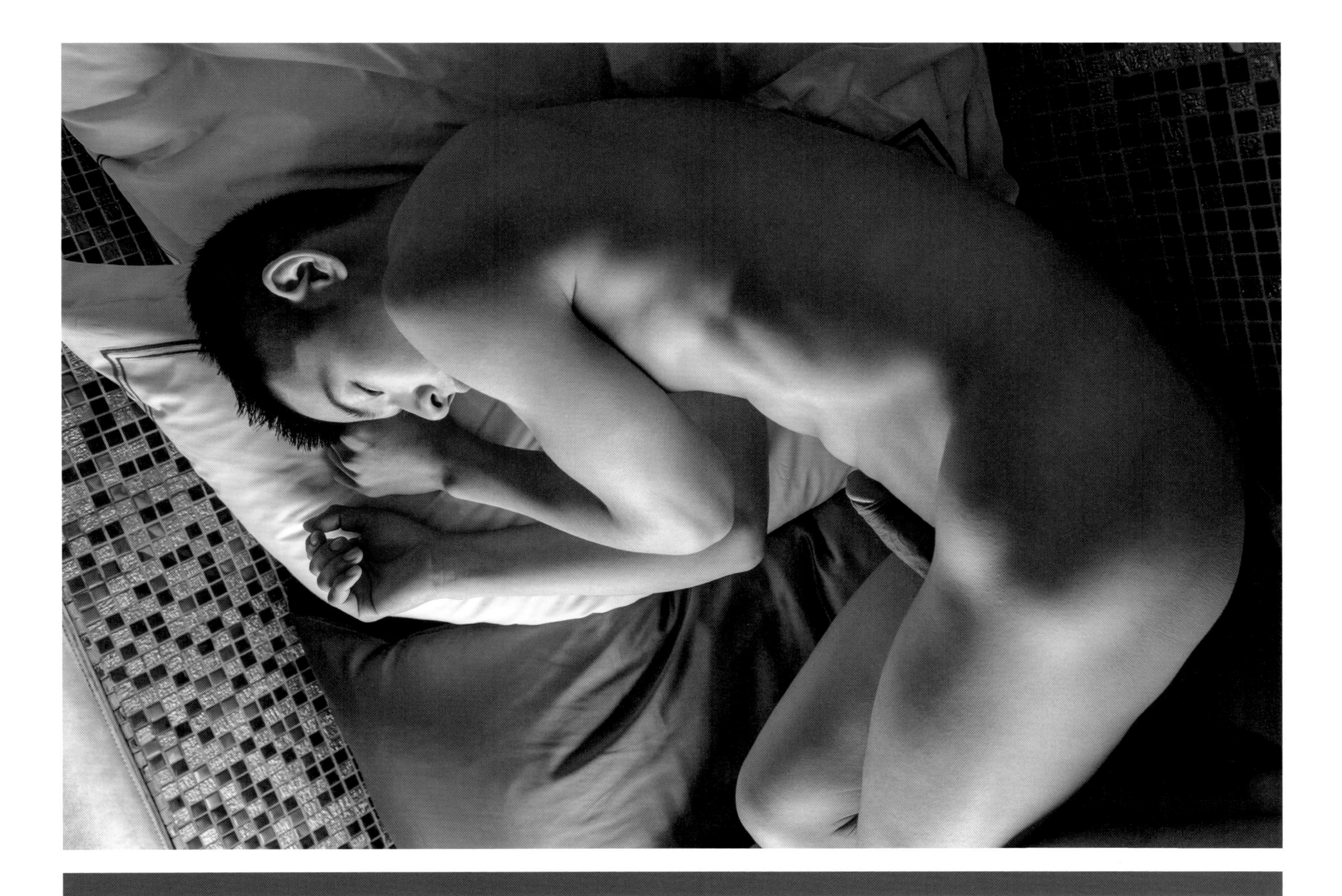

THE WORLD KEEPS GOING AND I JUST WANT TO STOP FOR YOU.

LIFE
IS
NOT
JUST
A
THING

有人說像我這樣愛好自由的男人
就好像一匹脫韁野馬
我不否認
喜歡流浪是一種會上癮的

毒

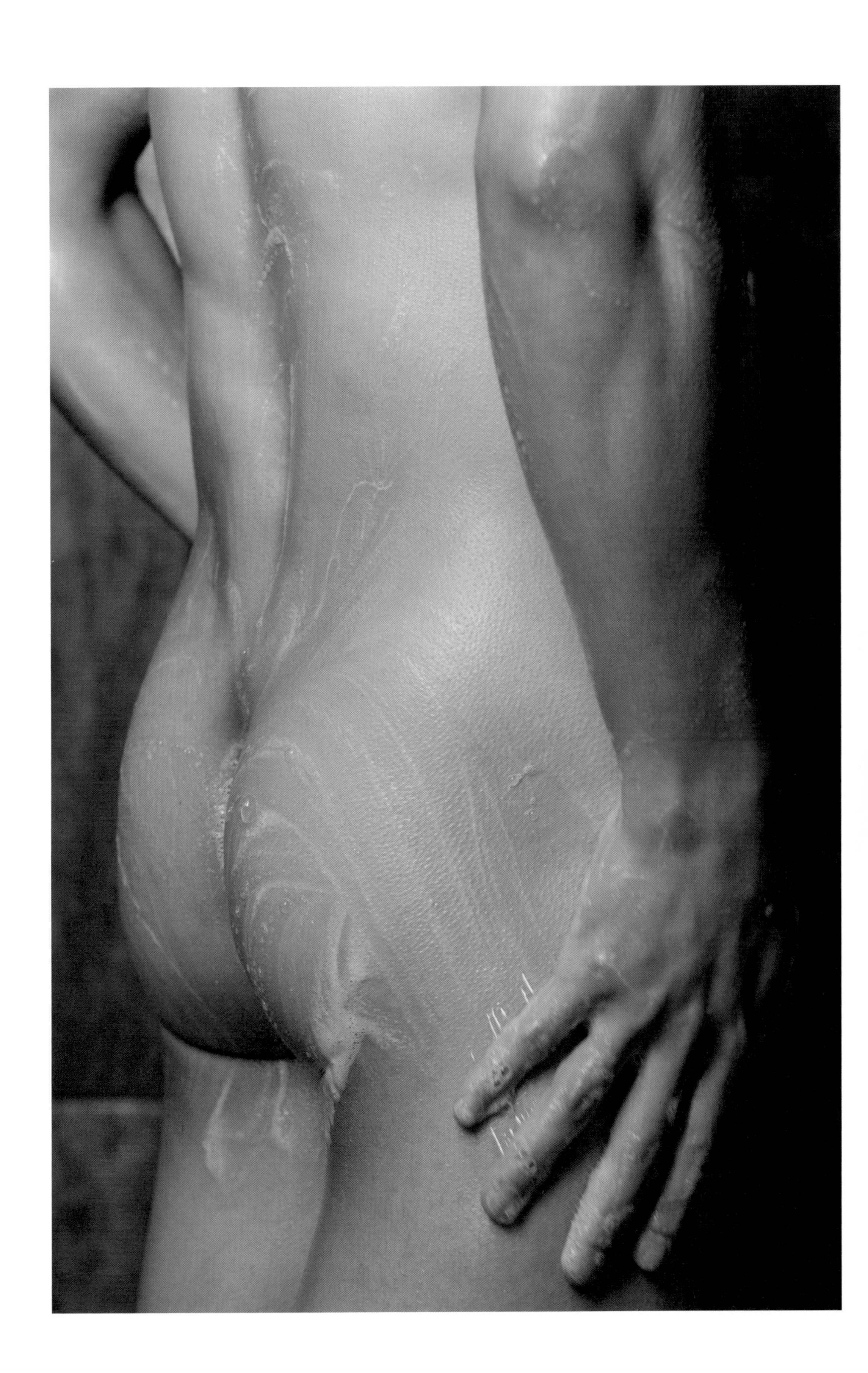

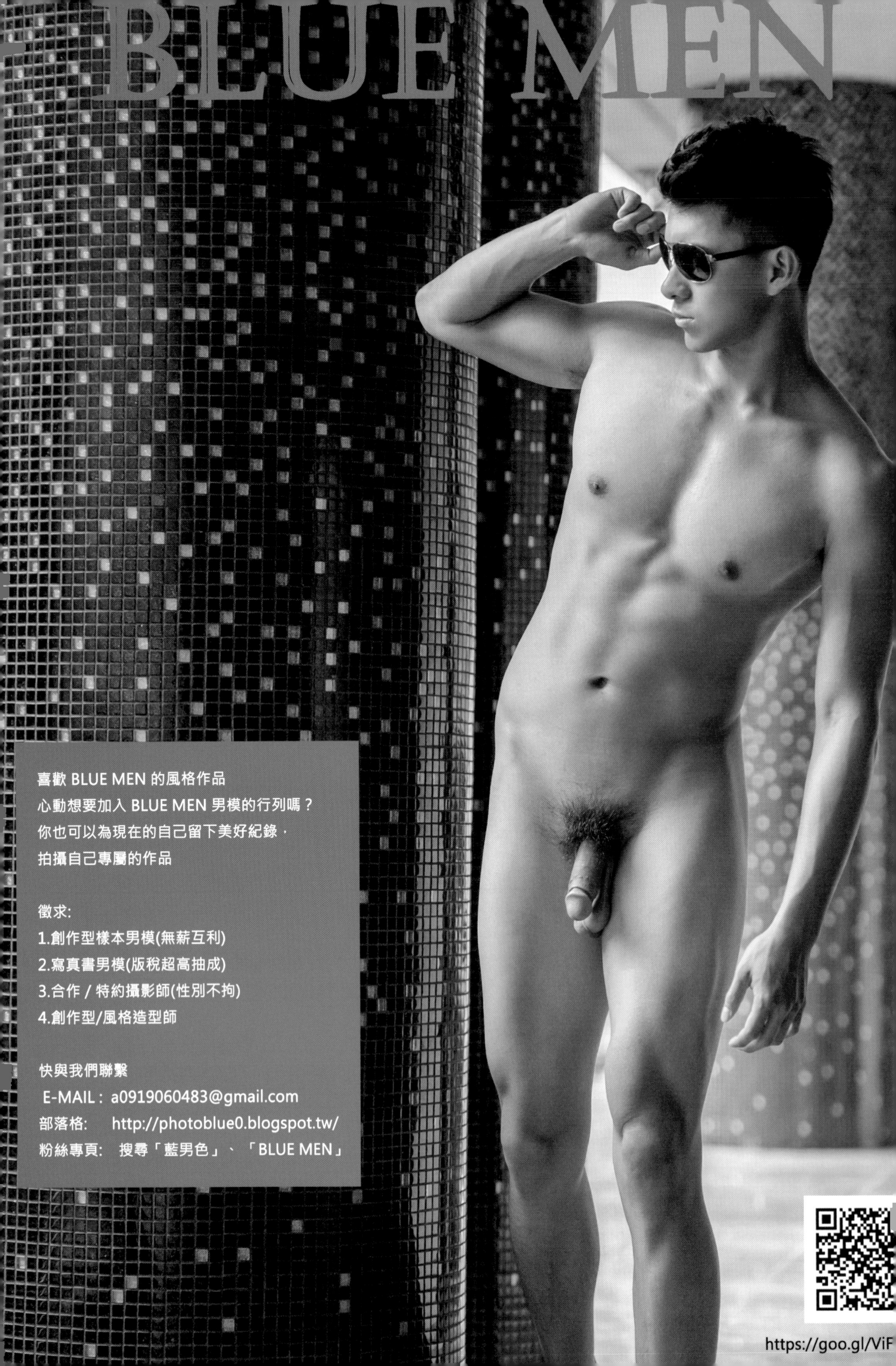
BLUE MEN
喜歡 BLUE MEN 的風格作品
心動想要加入 BLUE MEN 男模的行列嗎？
你也可以為現在的自己留下美好紀錄，
拍攝自己專屬的作品
徵求:
1.創作型樣本男模(無薪互利)
2.寫真書男模(版稅超高抽成)
3.合作 / 特約攝影師(性別不拘)
4.創作型/風格造型師
快與我們聯繫
E-MAIL：a0919060483@gmail.com
部落格: http://photoblue0.blogspot.tw/
粉絲專頁: 搜尋「藍男色」、「BLUE MEN」
https://goo.gl/ViF

想收藏藍男色 / BLUE MEN 系列電子寫真書及影音獨家映像，
你可在電子書城透過線上購買，使用電腦及手機APP進行觀看閱讀
並可隨時掌握最新期數的作品發售

藍男色實體商品門市

想要隨時follow 藍男色/BLUE MEN 系列實體周邊作品嗎
或是當你錯過實體書的線上預購時間？

立即以 FACEBOOK 搜尋 【藍男色實體商品門市 】

我們將有最即時的訂購訊息發布
專人進行商品訂購接洽寄送

藍男色實體商品門市

@BLUEMENss

首頁

貼文

評論

相片

關於

按讚分析

或是快上博客來線上門市訂購

以下通路皆有販售

誠品書局、墊腳石、三民書局、政大書城、PCHOME、明儀書店

販售通路持續增加中，關注臉書或IG享最新資訊

https://goo.gl/ltsw1o

特別贊助：

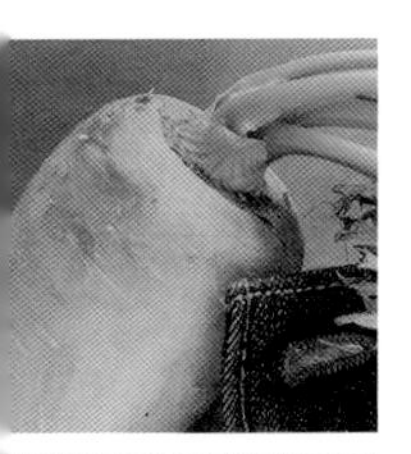

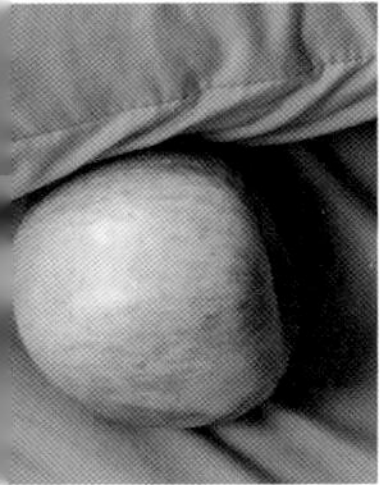

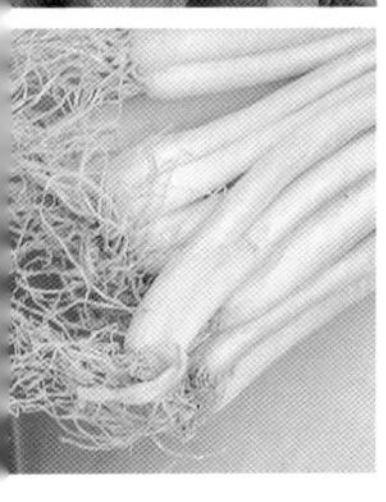

做純的

x

私廚料理

人的體態就像食材
樣，隨著時間他們
擁有不同的狀態

做純的 友善空間

我們是一間多元友善空間,
不定時舉辦共食聚餐,無菜單料理
各種活動講座,
希望來訪客人能夠感受到安全感與家的感覺,
促進大眾對社會議題討論與交流
歡迎您的來訪, 記得預約。

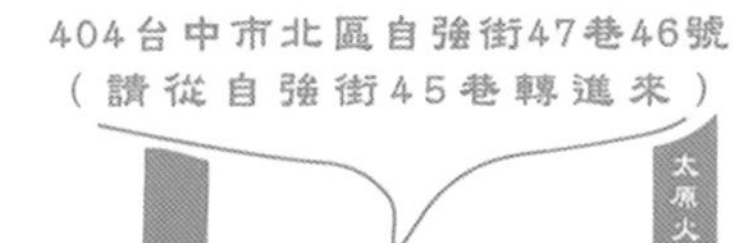

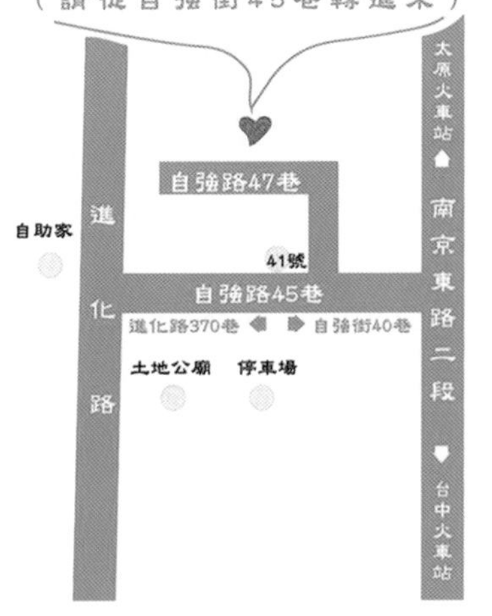

Taiwan AIDS Foundation

財團法人台灣紅絲帶基金會
Taiwan AIDS Foundation

財團法人台灣紅絲帶基金會於2005年成立，由一群關心台灣愛滋病防治的學者、醫療工作者、企業家所發起，以「促進健康性關係，致力預防愛滋工作，關懷HIV/AIDS感染者與病患」為設立宗旨，號召各界捨我其誰？刻不容緩，踴躍參與愛滋防治工作，一同搶救青年的生命，改變青年的生活。

從政策參與、支持研究、教育宣導、改造行為運動、諮商篩檢、照護與關懷出發，關心身邊每個所愛所關心的人，作一個愛滋病防治的平台，成為一個你所信賴的愛滋防治團體，以愛為名，許台灣成為一個「零愛滋成長的環境」。

活動空間

一進門就看到許多講師們去校園授課的感謝狀，來篩檢的民眾也可以坐在這等待沙發區休息。

會議中心

台灣紅絲帶基金會的會議空間大約可以容納20-30位，平常會議、上課都在這邊。

篩檢室

提供的篩檢方式與一般醫院的篩檢中心不同，只要十五分鐘就可以看到檢驗結果。由於紅絲帶使用採血針，受測者只要取出一滴血液，並等待數分鐘就可以得知檢測的結果，其實兩者的最大差異在於，醫院的行政流程較為繁瑣，且血液的樣本必須在湊到一定數目之後，再運轉檢驗儀器才符合成本，因此才無法及時得到結果，紅絲帶提供的快篩檢測則不需要。在這裡不僅是只有提供篩檢服務，還提供了許多相關資訊及資料，因此

愛滋、梅毒篩檢服務時間	周一至周五9:00-18:00
諮詢專線	(02) 2559 2059
傳真	(02) 2559 7263

Taipei

Since 2012

服務範圍
台北市、新北市

開館時間
周二至周日 18:00-23:00

服務專線
02-23611069

地址
台北市萬華區成都路10巷19號2樓
(西門町紅樓商圈2樓)

交通方式
台北捷運西門站1號出口
步行約3分鐘

FB粉絲專頁
https://www.facebook.com/GisneyLand.Redhouse/
GisneyLand紅樓部屋

GisneyLand 紅樓部屋

紅樓部屋為第一家進駐紅樓商圈的同志健康服務中心，主要提供篩檢/諮詢服務，另提供性別友善店家/活動相關資訊、文創商品義賣、書籍借閱、免費文宣/保險套/潤滑液索取等服務。

篩檢室

GisneyLand紅樓部屋坐落於紅樓酒吧區，是首個進駐紅樓商圈的公益團體，六年間已服務逾兩萬人次，並於2018年3月重新開幕，供大家夜間最方便的篩檢服務。

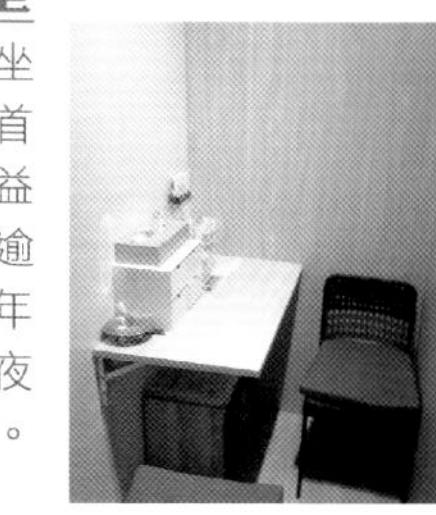

吧台區

紅樓部屋除了篩檢也提供性病預防、同志活動、友善店家......等相關資訊，並可索取免費保險套以及潤滑液。

分享區

重新開幕的紅樓部屋設有分享區，供參訪民眾資訊交流也可舉辦講座活動，未來紅樓部屋將持續提供大眾更多的服務項目。

Hsinchu

Since 2011

服務範圍
桃園、新竹、苗栗

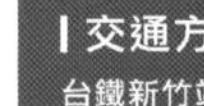

開館時間
周二至周六 14:00-22:30

服務專線
03-5237969

地址
新竹市民族路25號6樓
(新竹車站前志光公職樓上)

交通方式
台鐵新竹站
步行約5分鐘

FB粉絲專頁
https://www.facebook.com/GisneyLandHSC/
GisneyLand風城部屋

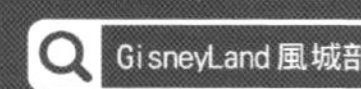

GisneyLand 風城部屋

風城部屋是新竹提供多元性別友善的實體空間。以里民中心自居，部屋就像個大家庭。期望來部屋的朋友都能找到歸屬感，同時也提供各種服務因應來訪者需求，並持續辦理大型活動，讓大家看見多元性別族群，進而成為更友善的健康社區。

客廳區

提供新竹地區一個可以不需在意他人眼光的舒服空間，歡迎大家來訪使用。

書籍區

想知道各種健康衛教資訊、性別議題都可以在我們的書籍區找到令人滿意的答案。

教室

會舉辦講座、定期讀書會、成長團體，歡迎有興趣的夥伴都可以加入。

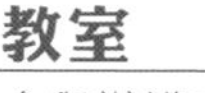

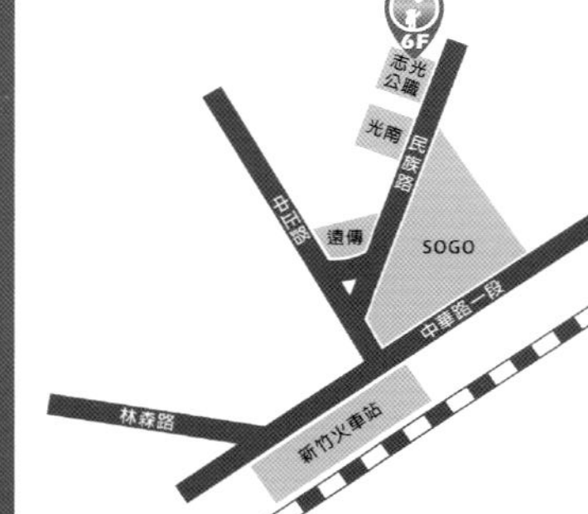

Chiayi

Since 2015

服務範圍
雲林、嘉義

開館時間
周二至周六 14:00-22:00

服務專線
05-2266910

地址
嘉義縣民雄鄉文化路7-2號3樓
(民雄鄉公所旁)

交通方式
台鐵民雄站
步行約10分鐘

FB粉絲專頁
https://www.facebook.com/gisneylandchiayi/
GisneyLand諸羅部屋

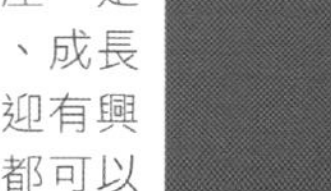

GisneyLand 諸羅部屋

諸羅部屋是雲嘉地區的同志服務中心，致力於愛滋防治與多元性別教育，位於嘉義縣民雄鄉，長期於在地友善商家、公部門、各級學校散播友善的種子，提供支持多元性別友善及健康教育系統，創造雲嘉地區同志友善環境。

客廳區

大家最常聯繫情感的地方，許多聯誼活動及名人講座等都會在這進行。沙發區旁還有大書櫃供來訪者自由參閱。

諮詢 / 團體室

除匿名篩檢諮詢服務外，若想進行較隱私的談話或團體活動也可利用此空間。也有許多性別及健康衛教等書籍供閱讀，是一個多元運用的好地方。

吧檯區

一應俱全的小廚房，另有公用杯盤餐具，在享用美食之餘也能愛護這片土地。後方陽台設置有吸菸區，有良好的環境區隔。

x DOUBLE 領慾

出版社 亞升實業有限公司
攝　影 張席菻　　攝影協力 林奕辰
編　輯 張席菻 / 張婉茹 / 林奕辰 / 吳品青 / 羅婉瑄 / 施宇芳
文字協制 羅婉瑄　美術設計 施宇芳
法律顧問 宏全聯合法律事務所 蔡宜軒律師

特別贊助 做純的 - 同志友善空間 / 台灣基地協會 / 新竹風城部屋 / 紅絲帶基金會

紛絲專業 FACEBOOK 搜尋 ［BLUE MEN］ ［藍男色］
部落格網址 https://photoblue0.blogspot.tw/
書店網址 http://www.pubu.com.tw/store/140780
推特 / Twitter 網址 https://twitter.com/a0919060483

INSTAGRAM 搜尋 〔bluemen183〕
網址 https://www.instagram.com/bluemen183/

發行人 亞升實業有限公司